JN061861

え!!

$$\pi = \frac{4}{\sqrt{\varphi}}$$

$\pi = 3.1446...$

これ本当!?

中学生の数学レベルで判る、π の新しい計算方法のご提案

第3版

梅にウグイス 著

ブックウェイ

初めにこの本をお読みになるすべての方々へ

　この本はその専門的内容からどこかの「学会」で公表するのが良かったのかもしれません。しかしそうしなかったのは、あるいはそうできなかったのは私が数学者でもなければ科学者でもなく、どこかの企業の技術者でもないからです。私は肉体労働によって日々の糧を得てここ日本で暮らしている一介の手仕事職人にすぎません。しかし宇宙のことに大きな関心を持っています。私の数学的知識は高校卒業ぐらいのものでしかありません。この本を最後までお読み頂ければ判ると思いますが、中学生レベルの数学しか使用していません。そしてここ日本は中学生までが義務教育ですので、高度な数学的知識を有する数学者や、科学者、あるいは企業の技術者のみではなく、日本に住む非常に多くの方々がこの本を読み解くことが可能であると想定しています。これがこの本を書くことになった大きな理由と意味です。このためなるべく数学の知識に乏しい方々に考慮した内容にしたつもりです。高度な数学力をお持ちの方々はこのことを心に留めおいて頂きたい。

　この本は数学の嫌いな方々は別にしても、手に取って読まれる方々には少なからず関心を寄せることができる内容であると推測しています。見て判るように分厚い本ではありません。犬のブルドックのような顔をして「難問」にいどむようなことなく、どうぞリラックスしてちょっとした「数学のお茶の時間」としてこの π についてのご提案をお楽しみ頂ければ幸いです。

著者　梅にウグイス

目　次

1章 円（π）と五芒星（φ）から始める

この本をお読みになる方々へ、まず始めに下記の図をご覧頂きたい。

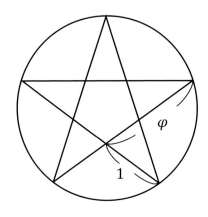

　みなさまも、どこかで見たことがある図であると思います。円に内接する「五芒星」（ごぼうせい）です。この図の中にたくさんの黄金比φ（ファイ）が宿ることはご存知ですか？　図の中にはほんの一例のみ書き入れてあります。この本の目的は「円に内接する五芒星」にいくつのφ（ファイ）を宿しているか、ではありません。もし興味のある方々は、本やインターネットで知識を得ることを、お願いいたします。特にインターネットでは簡単に多くの知識を得ることができると思います。

　私がこの図で述べたいことは、たくさんの黄金比φ（ファイ）を宿したこの星形の図形が「きれいに円に内接している」ということです。私にとってこのことは円周率πと黄金比φの関連を推測できる大きな理由の一つになっています。そしてここからπとφの関係を研究することが始まります。それはこの本を書くまで約4年半の歳月が経過することになりました。数学者たちの数千年の歴史からすれば微々たるものにすぎませんが、私にとっては長い月日に思いました。

　本題に入る前にもう一つ述べておきたいことがあります。それは高卒程度の数学力しかない私（大学では経済学科でした）が気をつけた点があります。それは次の三つです。

1. なるべく簡単（シンプル）な数字を使う
2. 複雑で難解な数式をなるべく使わない
3. 計算に行き詰まったら深追いしないこと

　この三つは私の脳が数字と数式でぐちゃぐちゃにならないように気をつけた点です。このようにしたのはもう一つの理由があります。多くの方々が知っている数式ですが改めてご覧頂きたい。

$$E = mc^2$$

アルベルト・アインシュタイン氏が発表した数式ですね。なんと簡単（シンプル）できれいな数式でしょうか。もし円周率 π と黄金比 φ の関係を表した場合の数式もこのように簡単（シンプル）できれいなものになるのではないでしょうか。このことを「円に内接する五芒星」から十分に想像可能だと思います。何度もの計算の挫折から無理をせず自分の数学力の範囲内で解明することを考えたのです。高度な数学力を有する方々は別として、この本を読まれる方々も判らない点は他人に聞いてみたり、あるいは少し休み時間を取ってからお読みになると良いと思います。

では本題に入りましょう……

※この本の中にある図は縮尺が正確ではなくおおよそのものです。
　文字や数字、あるいは図の見やすさを優先しているためです。
　このことにご注意頂けますようお願いいたします。

π（パイ）と φ（ファイ）の 関係数式を求める

　私にとって大きな問題となったのはどのようにして円周率 π（パイ）と黄金比 φ（ファイ）の関連数式を得るか、あるいは関連図を見つけるか、ということです。

え！すでに「円に内接する五芒星」があるって？

　私も当然、始めにこの図から π と φ の関係を見つけ出そうとしたのですが、三角関数の *sin*（サイン）、*cos*（コサイン）、*tan*（タンジェント）を使うと数式と計算が難しくなるばかりで、脳がぐちゃぐちゃになり断念いたしました。これは私の数学力で関連数式を見つけることができなかった、ということであり高度な数学力を有する方々の可能性を否定するものではありません。その他にもいろいろな図面から挑戦してみましたがすべて途中で挫折してしまいました。いくつもの思案の末に関連を見つける方法を次の図に見い出しました。それは黄金比 φ（ファイ）を図で作る過程の延長線上です。φ を表す図は次のようになりますが、既にご存知の方々は少しお付き合い下さい。

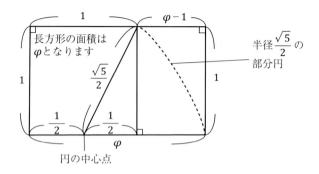

φの数値を求める方法はいくつかありますが、それを全部説明することはこの本の目的ではないため、私が判り易いと思う方法を記述してみました。

上の図から……

$$黄金比\varphi（ファイ） = \frac{1+\sqrt{5}}{2} = 1.61803398874......$$

さて前の図からさらにπとφの関連式を得るために次のような図を作ります。面積φの長方形と「同じ面積を持つ正方形」を作ります。この正方形を作ることが重要なポイントになります。

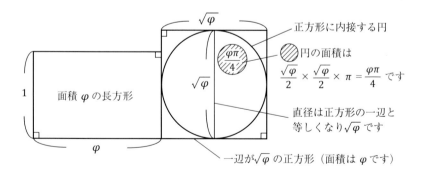

$\dfrac{\varphi\pi}{4}$ というπとφが関係する数値がでてきました。　さらに関連式を得るために次のような同様の図を作ります。

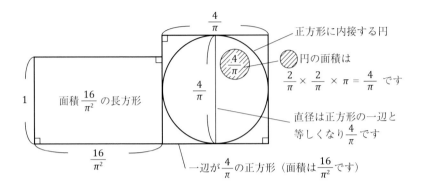

え！　何故 $\dfrac{4}{\pi}$ がでてきたのかですって？

それは次の三つの理由によります。（三つの他にも理由がありますが複雑になってしまうためこの本では説明しません。）

1．一つ目の理由は $\dfrac{4}{\pi}$ の数値です。仮に π≒3.14 として $\sqrt{\varphi}$ と $\dfrac{4}{\pi}$ の数値を比較してみて頂きたい。（※≒この記号は「約」という意味です。）

$$\dfrac{4}{\pi} ≒ 1.27388535031\ldots\ldots$$
$$\sqrt{\varphi} = 1.27201964951\ldots\ldots$$

二つの数値は非常に近い数値になります。これが一つ目の理由です。

2．二つ目の理由は $\frac{4}{\pi}$ の持つ特殊な性質です。次の図とその関係数値をご覧いただきたい。

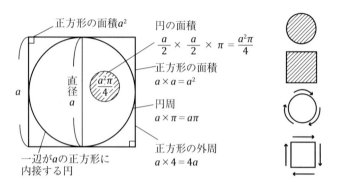

正方形の面積a^2

一辺がaの正方形に内接する円

直径a

円の面積
$$\frac{a}{2} \times \frac{a}{2} \times \pi = \frac{a^2\pi}{4}$$

正方形の面積
$$a \times a = a^2$$

円周
$$a \times \pi = a\pi$$

正方形の外周
$$a \times 4 = 4a$$

それぞれの数値を見て、何か気がつくことはございませんか？
円の面積と円周、それぞれに $\frac{4}{\pi}$ をかけてみて頂きたい。

$$\frac{a^2\pi}{4} \times \frac{4}{\pi} = a^2 \cdots\cdots これは正方形の面積に等しい数値です。$$

$$a\pi \times \frac{4}{\pi} = 4a \cdots\cdots これは正方形の外周に等しい数値です。$$

お判りでしょうか？　すべての正方形は大きさに関わらず、その内接する円の面積と円周にそれぞれ $\frac{4}{\pi}$ をかけるとそれぞれが正方形の面積と外周に等しくなります。この $\frac{4}{\pi}$ の持つ特殊性が二つ目の理由です。

そしてこの $\frac{4}{\pi}$ の持つ性質は円周率 π と黄金比 φ の関係を解明するのにとても役に立ちます。役に立つと言うよりこの性質を利用しなければ解明できません。この後の計算にも使用するためにぜひこの点を覚えておくことをおすすめしておきます。

3．三つ目の理由はまたしても $\frac{4}{\pi}$ の持つ特殊性です。

　この特殊性は最後になってから公開することにいたします。なかなか見つからない所に隠れています。その性質は $\sqrt{\varphi}$ と $\frac{4}{\pi}$ が「非常に近い数値」ではなく「全く同じ数値」であることを推測するのにとても役に立ったものです。

　好奇心の旺盛な中学生のみなさんは急いでページをめくりカンニングするのは止めて下さいね！　ページ数は少ないので順序よくお願いします。（笑）

　さて次は π と φ の関係を探るために一つのアイデアを入れた図を作っていきます。

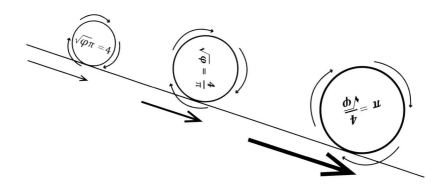

少し休憩しましょう！

　これまでに φ（ファイ）の面積を持つ長方形と正方形、そして $\frac{16}{\pi^2}$ の面積を持つ長方形と正方形、この二つの図を作り得ています。しかしこの

二つの図からではπとφの関係を明らかにする重要な数式を得ることはできませんでした。

　試行錯誤の研究の結果、このπとφの関係を究明するためには、この二つの図の他にもう一つの図が必要であることが判りました。それは既にある二つの図と同様のものですが、その図には未知数 x があることと円の面積を $\sqrt{\varphi}$ に設定することが重要なポイントになります。次にその図を示します。

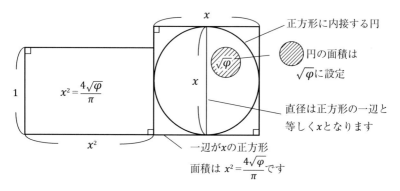

　図にありますように「あえて円の面積を $\sqrt{\varphi}$ に設定」します。

え！何故円の面積を $\sqrt{\varphi}$ に設定するのかって？

　それには次の二つの理由があります。

1．一つ目の理由は $\sqrt{\varphi}$ の持つ数値です。先の二つの図にある円の面積と比較してみて頂きたい。先の場合と同じく $\pi \fallingdotseq 3.14$ として計算してみます。

$$\left\{\begin{array}{l} \dfrac{\varphi\pi}{4} \fallingdotseq 1.2701\ldots\ldots \text{（一辺が} \sqrt{\varphi} \text{を持つ図の円面積）} \\[3mm] \dfrac{4}{\pi} \fallingdotseq 1.2738\ldots\ldots \text{（一辺が} \dfrac{4}{\pi} \text{を持つ図の円面積）} \end{array}\right.$$

$$\sqrt{\varphi} = 1.2720\ldots\ldots \text{（一辺が} x \text{を持つ図の円面積）}$$

数値を比較すると三つとも非常に近い数値であることが判ります。これが一つ目の理由です。

2．二つ目の理由は、この円の面積を $\sqrt{\varphi}$ に設定することが、正に未知数 x の数値を解く鍵となり、そのことが円周率 π と黄金比 φ の関係を明らかにする非常に大事なポイントになるからです。これは先の 11 ページの三つ目の理由に大きく関連していて隠された大きな意味があります。ですからこれからの説明によってこの本を読まれている方々にも最後に明らかにしていきたいと思います。

さてこれから判り易く説明していくために、これまで得られた三つの図を整理した形で示します。それぞれの図に A. B. C. そして各図の等式には a.b.c.d.として次の記号を対応させることにします。

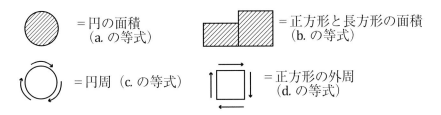

では次に整理したものをご覧いただきたい。

図 A.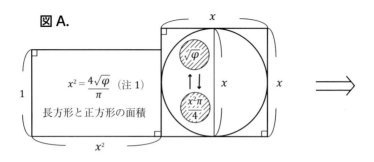

図 B.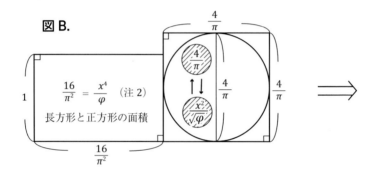

図 C.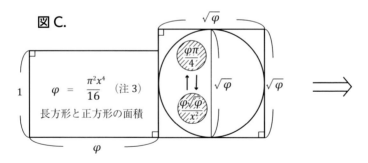

※各図の一辺と縮尺はおおよそのもので正確ではありません。

注1　円の面積に$\frac{4}{\pi}$をかけると正方形（＝長方形）の面積になります。

注2　B.a.の等式より計算できます。

注3　B.b.の等式より計算できます。

等式 A.a.　　$\dfrac{x^2\pi}{4}=\sqrt{\varphi}$　　（円の面積）

〃 A.b.　　$x^2=\dfrac{4\sqrt{\varphi}}{\pi}$　　（正方形と長方形の面積）

〃 A.c.　　$x\pi=\dfrac{4\sqrt{\varphi}}{x}$　　（円周）

〃 A.d.　　$\dfrac{16\sqrt{\varphi}}{x\pi}=4\,x$　　（正方形の外周）

等式 B.a.　　$\dfrac{4}{\pi}=\dfrac{x^2}{\sqrt{\varphi}}$　　（円の面積）

〃 B.b.　　$\dfrac{16}{\pi^2}=\dfrac{x^4}{\varphi}$　　（正方形と長方形の面積）

〃 B.c.　　$\dfrac{x^2\pi}{\sqrt{\varphi}}=4$　　（円周）

〃 B.d.　　$\dfrac{4x^2}{\sqrt{\varphi}}=\dfrac{16}{\pi}$　　（正方形の外周）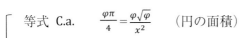

等式 C.a.　　$\dfrac{\varphi\pi}{4}=\dfrac{\varphi\sqrt{\varphi}}{x^2}$　　（円の面積）

〃 C.b.　　$\varphi=\dfrac{\pi^2x^4}{16}$　　（正方形と長方形の面積）

〃 C.c.　　$\sqrt{\varphi}\,\pi=\dfrac{4\varphi}{x^2}$　　（円周）

〃 C.d.　　$x^2\pi=4\sqrt{\varphi}$　　（正方形の外周）

※すべての等式は A.b.の式を元に計算することができます。

※参考のため $\pi\fallingdotseq3.14$ で計算すると $\dfrac{4}{\pi}\fallingdotseq1.2738$、$\sqrt{\varphi}\fallingdotseq1.2720$、$x\fallingdotseq1.2729$ で**図 A.B.C.**はそれぞれ「非常に近い数値」を一辺に持つ図であることが判ります。

3章 | 関係数式から $\frac{4}{\pi}=\sqrt{\varphi}$ を導き出す

2 章の中で円周率 π（パイ）と黄金比 φ（ファイ）の関係数式を十分に得ることができました。ここから π と φ の関係を究明してみたいと思います。

この本を読まれているみなさんへ、三つの**図A.B.C.**とその関連数式をよくご覧いただきたい。何か気がついたことはございませんか？……。もう一度お願いします。少し時間を取りよくご覧いただきたい……。

え！何も気がつかないって？

> 未知数の x に気を取られてしまいそうですが、注目していただきたい点は $\sqrt{\varphi}$ です。$\sqrt{\varphi}$ が各等式の中でどのように働いているか、あるいは働くか……ということです。

図 A. をご覧いただきたい。内接している円の面積に $\frac{4}{\pi}$ をかけると正方形の面積になります。（※このことは既に 10 ページで説明しています。）ここに $\frac{4}{\pi}$ ではなく代わりに数値が非常に近い $\sqrt{\varphi}$ をかけてみて頂き

たい。すると図 C.の正方形の面積とちょうど等しくなります。続けて図 B.の円面積と円周に $\sqrt{\varphi}$ をかけてみていただきたい。すると今度はそれぞれ図 A.の正方形の面積、そして図 C.の正方形の外周と等しくなります。$\dfrac{4}{\pi}$ をかけるとそれぞれの円に外接する正方形の面積と外周になり、$\sqrt{\varphi}$ をかけると「違う図」の正方形の面積と外周に等しくなります。

x と $\dfrac{4}{\pi}$ と $\sqrt{\varphi}$ は「非常に近い数値」なのだからこれは「偶然」でしょうか？ みなさんは何故このような「偶然」がおきるのか不思議に思われませんか？

$\dfrac{4}{\pi}$ と $\sqrt{\varphi}$ は「非常に近い数値」ではなく 「全く同じ数値」の可能性はないか？

注目して頂きたいのは先の説明で図B.の円面積と円周、それぞれに $\dfrac{4}{\pi}$ の代わりに $\sqrt{\varphi}$ をかけてみると別々の図 A.と図 C.の正方形に同時に等しくなってしまうことです。このことに $\dfrac{4}{\pi}$ と $\sqrt{\varphi}$ の関係を解き明かすための非常に重要な手掛かりがあります。そしてこの事が「偶然」ではなく「必然」であることを計算による検証によって明らかにしていこうと思います。この説明を判りやすくするために次の図 B.の円部分をご覧ただきたい。

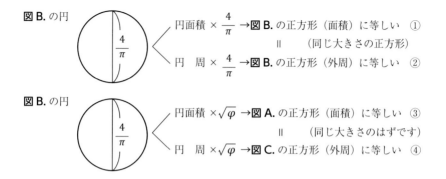

図 B. の円　円面積 × $\dfrac{4}{\pi}$ →図 B. の正方形（面積）に等しい　①
　　　　　　　　　　　　　 ‖　　（同じ大きさの正方形）
　　　　円　周 × $\dfrac{4}{\pi}$ →図 B. の正方形（外周）に等しい　②

図 B. の円　円面積 × $\sqrt{\varphi}$ →図 A. の正方形（面積）に等しい　③
　　　　　　　　　　　　　 ‖　　（同じ大きさのはずです）
　　　　円　周 × $\sqrt{\varphi}$ →図 C. の正方形（外周）に等しい　④

　ご覧のように $\dfrac{4}{\pi}$ に「非常に近い数値」の $\sqrt{\varphi}$ をかけると**図 A.** と**図 C.** の正方形に分かれ等しくなります。**図 B.** の正方形の大きさと違っていると仮定しても、同じ大きさの円に同じ $\sqrt{\varphi}$ をかけたのですから③と④はその面積と外周では数値の違いはあっても「①と②の関係のように同じ大きさの正方形」になるはずです。（……非常に重要なポイントです。この説明は理解できていますか？）

　このことから推定できることは**図 A.** と**図 C.** の正方形は「同じ大きさ」であるということです。そしてそれは x と $\sqrt{\varphi}$ が等しいことを意味し、それに続いて $\sqrt{\varphi}$ と $\dfrac{4}{\pi}$ が等しいことにつながります。そしてこれから x と $\sqrt{\varphi}$ と $\dfrac{4}{\pi}$ が等しいことを先に述べたように計算による検証によって確かめてみようと思います。何故なら数学において「同じ大きさのはずです」では証明したことになりませんね。

　そして $\dfrac{4}{\pi}$ と $\sqrt{\varphi}$ が「全く同じ数値」なのか、そうでないのか、これを検証するために、**図 A.B.C.** のそれぞれの等式に $\dfrac{4}{\pi}$ の代わりに $\sqrt{\varphi}$ を代入することをやってみたいと思います。検証は**図 A.B.C.** の順で最後に補足の説明をする形をとります。

　それでは検証してみましょう……。

図 A.の等式の場合

　図 A.の中で A.c.の等式に $\dfrac{4}{\pi}$ をかけると A.d.の等式になります。この過程で $\dfrac{4}{\pi}$ の代わりに $\sqrt{\varphi}$ をかけて検証してみます。そして二つの等式を比較してみます。

$$x\pi = \frac{4\sqrt{\varphi}}{x} \quad \xrightarrow{\times \frac{4}{\pi}} \quad 4 \times x = \frac{4\sqrt{\varphi}}{x} \times \frac{4}{\pi} \quad \cdots\cdots\cdots\cdots \alpha$$

（$\sqrt{\varphi}$ を代わりにかけてみる）

$$x\pi = \frac{4\sqrt{\varphi}}{x} \quad \xrightarrow{\times \sqrt{\varphi}} \quad \sqrt{\varphi}\pi \times x = \frac{4\sqrt{\varphi}}{x} \times \sqrt{\varphi} \quad \cdots\cdots\cdots \beta$$

※二つの等式を比較しやすいように違いのある部分に番号をつけます。

$$① (4) \times x = \frac{4\sqrt{\varphi}}{x} \times \left(\frac{4}{\pi}\right) ②$$

$$③ (\sqrt{\varphi}\pi) \times x = \frac{4\sqrt{\varphi}}{x} \times (\sqrt{\varphi}) ④$$

上下の等式の間で x と $\dfrac{4\sqrt{\varphi}}{x}$ は同じなので①と③、②と④がもし「全く同じ数値」なら、上下の二つの等式 α と β は全く同じ等式ということになります。

　参考のために①〜④の概算数値を $\pi \fallingdotseq 3.14$、$\varphi \fallingdotseq 1.6180$ として改めて計算してその数値を示します。

①　4　　②　$\dfrac{4}{\pi} \fallingdotseq 1.2738$　　③　$\sqrt{\varphi}\pi \fallingdotseq 3.9940$　　④　$\sqrt{\varphi} \fallingdotseq 1.2720$

　概算の数値ですが見ていただいて判るように①と③、②と④は非常に近い数値であることが判ります。$\dfrac{4}{\pi}$ と $\sqrt{\varphi}$ は非常に近い数値であることが判っていますから当然の結果ではありますが。

そしてこれから上下二つの等式 α と β が「全く同じ数値」を持つ全く同じ等式、であるのか、そうでないのかを検証するために次の四つの計算をしてみます。

※かけ算のとき①〜④の番号を間違えないよう注意して下さい！

1．初めに①と③、②と④がもし全く同じ数値であるなら①と④、②と③をかけた場合の数値は等しくなるはずです。計算してみましょう。

$$\underset{①}{(4)} \times \underset{④}{(\sqrt{\varphi})} = \underset{②}{(\frac{4}{\pi})} \times \underset{③}{(\sqrt{\varphi}\pi)} \rightarrow 4\sqrt{\varphi} = 4\sqrt{\varphi} \cdots 等しくなりました。$$

2．二つ目に①と③、②と④がもし全く同じ数値であるなら、①に③、③に①を相互に等式に代入（つまり①と③を入れ替える）した計算結果は同じ数値になり二つの結果は同時に成立するはずです。計算してみましょう。

$$
\begin{array}{l}
①に③を代入 \quad (\sqrt{\varphi}\pi) \times x = \frac{4\sqrt{\varphi}}{x} \times \frac{4}{\pi} \rightarrow x^2 = \frac{16}{\pi^2} \rightarrow x = \frac{4}{\pi} \\
③に①を代入 \quad (4) \times x = \frac{4\sqrt{\varphi}}{x} \times \sqrt{\varphi} \rightarrow x^2 = \varphi \rightarrow x = \sqrt{\varphi}
\end{array}
$$

え！違う結果がでたって？

　代入結果の二つの等式は違うものなのか、数値が全く同じで「同じ計算結果」が出たのか二つの方法で確認してみます。一つ目は**図 A.**の中にあるxをもう一度ご覧頂きたい。

　x は「正方形の一辺」であり、そしてその面積数値 x^2 は $\dfrac{4\sqrt{\varphi}}{\pi}$ です。これと二つの入れ替え計算の結果を両立させる方法は……

　　$x=\dfrac{4}{\pi}=\sqrt{\varphi}$ と考えると　$x=\sqrt{\varphi}$ と　$x=\dfrac{4}{\pi}$ を同時に成立させます。

　二つ目は x が「正方形の一辺」であると同時に円の直径にもなっています。これを利用して円の面積を計算した時に同じ結果が得られるはずです。$\dfrac{4}{\pi}$ と $\sqrt{\varphi}$ が等しいことを計算によって確認できる最も重要で核心的な計算で、次の図をご覧頂きたい。**図 A.** の円面積は $\sqrt{\varphi}$ です。

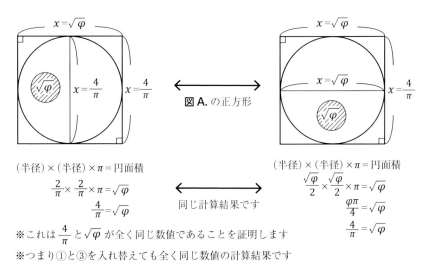

図 A. の正方形

(半径)×(半径)×π＝円面積

$$\dfrac{2}{\pi}\times\dfrac{2}{\pi}\times\pi=\sqrt{\varphi}$$

$$\dfrac{4}{\pi}=\sqrt{\varphi}$$

同じ計算結果です

(半径)×(半径)×π＝円面積

$$\dfrac{\sqrt{\varphi}}{2}\times\dfrac{\sqrt{\varphi}}{2}\times\pi=\sqrt{\varphi}$$

$$\dfrac{\varphi\pi}{4}=\sqrt{\varphi}$$

$$\dfrac{4}{\pi}=\sqrt{\varphi}$$

※これは $\dfrac{4}{\pi}$ と $\sqrt{\varphi}$ が全く同じ数値であることを証明します
※つまり①と③を入れ替えても全く同じ数値の計算結果です

　直径　x　に入れ替え計算結果の $\dfrac{4}{\pi}$ と $\sqrt{\varphi}$、どちらを代入しても同じ計算結果であり、$x=\sqrt{\varphi}$ と　$x=\dfrac{4}{\pi}$ を同時に成立させています。

　∴　$x=\dfrac{4}{\pi}=\sqrt{\varphi}$　が成立します。(∴ は「したがって」という意味です)

3．三つ目に2．と全く同じことを、②と④を相互に等式に代入（つまり②と④を入れ替える）して計算してみましょう。

$$
\begin{cases}
\text{②に④を代入} \quad 4 \times x = \dfrac{4\sqrt{\varphi}}{x} \times (\sqrt{\varphi}) \quad \rightarrow \quad x^2 = \varphi \quad \rightarrow \quad x = \sqrt{\varphi} \\[2mm]
\text{④に②を代入} \quad \sqrt{\varphi}\pi \times x = \dfrac{4\sqrt{\varphi}}{x} \times \left(\dfrac{4}{\pi}\right) \quad \rightarrow \quad x^2 = \dfrac{16}{\pi^2} \quad \rightarrow \quad x = \dfrac{4}{\pi}
\end{cases}
$$

全く同じ結果になりました。そして 2．の結果と比較すると $\left(\dfrac{4}{\pi}\right)$ と $(\sqrt{\varphi})$ の入れ替えでちょうど x も $\dfrac{4}{\pi}$ と $\sqrt{\varphi}$ で入れ替わっていることが判ります。つまり②と④を入れ替えても二つは同じ計算結果です。

$$\therefore \quad x = \sqrt{\varphi} = \frac{4}{\pi} \quad \cdots\cdots \text{ということになります。}$$

ここで四つ目の検証に入る前に、ある一つの疑問を持たれた方々はいませんか？ それは**図 A.b.**の$x^2 = \dfrac{4\sqrt{\varphi}}{\pi}$から……

何故この等式から……$x = \dfrac{4}{\pi} = \sqrt{\varphi}$にしないのか？

そのように思われた方々は次の図（**例1**、**例2**）をご覧いただきたい。

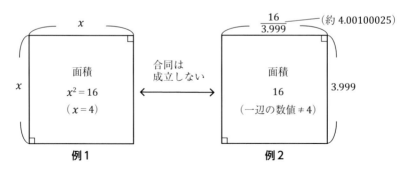

22

　図の意味がお判りですか？　**例1**の図では一辺が4で面積は16です。

そして**例2**の図では一辺の数値がほんのわずかに4からずれています

が、面積数値は16で**例1**の面積と同じになっています。見て判るとお

り $x = 3.999 = \dfrac{16}{3.999}$ は成立しません。

　$x^2 = \dfrac{4\sqrt{\varphi}}{\pi}$ はあくまで $\sqrt{\varphi}$ の面積を持つ円に $\dfrac{4}{\pi}$ をかけて正方形の面

積 (x^2) を導きだしたものです。つまり x と $\dfrac{4}{\pi}$ と $\sqrt{\varphi}$ が等しいとい

う検証結果がない段階で「$x = \dfrac{4}{\pi} = \sqrt{\varphi}$」を導き出すことができません。

$x^2 = \dfrac{4\sqrt{\varphi}}{\pi}$、この等式からだけで計算可能なことは……

$$x = \left(\dfrac{4\sqrt{\varphi}}{\pi}\right)^{\frac{1}{2}} \cdots\cdots \dfrac{4\sqrt{\varphi}}{\pi} \text{ の平方根 } (\sqrt{\ }) \text{ のみです。}$$

　このような理由のため遠回りするような方法で検証を進めています。

では四つ目の検証に戻りましょう。

4．四つ目は私ばかりではなくこの本をお読みの方々も簡単に考えつい

　　ているはずの計算です。先の1、2、3、の計算と同じく①と③、②と

　　④がもし全く同じ数値なら①と②そして③と④をかけた場合の数値

　　も等しくなるはずです。計算してみましょう。

$$(4) \times \left(\dfrac{4}{\pi}\right) = (\sqrt{\varphi}\pi) \times (\sqrt{\varphi}) \rightarrow \dfrac{16}{\pi^2} = \varphi \rightarrow \dfrac{4}{\pi} = \sqrt{\varphi}$$

　　①　　　②　　　　③　　　　④

　これまでの検証と同じ結果になりました。何故この計算を最後にした

のかお判りですか。この計算は一つ目で計算するとまだ $\dfrac{4}{\pi}$ と $\sqrt{\varphi}$ が「全

く同じ数値」であることが判っていません。二つ目と三つ目の検証があってから有効になる検証です。

　続いてこれまでの四つの検証を補足をしてみます。x と $\dfrac{4}{\pi}$ と $\sqrt{\varphi}$ が等しいなら**図A.B.C.**の外周（正方形部分）において**図A.**の外周（$4\,x$）の2倍は**図B.C.**の外周（それぞれ$\dfrac{16}{\pi}$と$4\sqrt{\varphi}$）の合計と等しくなり$x = \sqrt{\varphi} = \dfrac{4}{\pi}$という計算結果を導き出せるはずです。

　各図d.の等式で計算の簡単な等式の右側を利用して計算してみます。

$$4\,x \times 2 = \frac{16}{\pi} + 4\sqrt{\varphi} \quad \left(\frac{32\sqrt{\varphi}}{x\pi} = \frac{4x^2}{\sqrt{\varphi}} + x^2\pi\right) \ \leftarrow \ 等式の右側を利用$$

等式 B.a. $\dfrac{x^2}{\sqrt{\varphi}} = \dfrac{4}{\pi}$ を代入。

$$4x \times 2 = \frac{16}{\pi} + 4\sqrt{\varphi}$$

$$2x = \frac{4}{\pi} + \sqrt{\varphi}$$

$$2x = \left(\frac{x^2}{\sqrt{\varphi}}\right) + \sqrt{\varphi}$$

$$2\sqrt{\varphi}\,x = x^2 + \varphi$$

$$x^2 - 2\sqrt{\varphi}\,x + \varphi = 0$$

$$(x - \sqrt{\varphi})^2 = 0$$

$$x = \sqrt{\varphi}$$

等式 B.a. から $\sqrt{\varphi} = \dfrac{\pi x^2}{4}$ を代入。

$$4x \times 2 = \frac{16}{\pi} + 4\sqrt{\varphi}$$

$$2x = \frac{4}{\pi} + \sqrt{\varphi}$$

$$2x = \frac{4}{\pi} + \left(\frac{\pi x^2}{4}\right)$$

$$\frac{8x}{\pi} = \frac{16}{\pi^2} + x^2$$

$$x^2 - \frac{8x}{\pi} + \frac{16}{\pi^2} = 0$$

$$\left(x - \frac{4}{\pi}\right)^2 = 0$$

$$x = \frac{4}{\pi}$$

　四つの検証と同じ結果になり、$x = \dfrac{4}{\pi} = \sqrt{\varphi}$ が成立します。

もう一つ別の方法でも補足しておきます。 **図A.**の円周の等式 A.c. $x\pi = \dfrac{4\sqrt{\varphi}}{x}$ を利用します。次の図と計算をご覧頂きたい。$\sqrt{\varphi}$ と $\dfrac{4}{\pi}$ がたとえるなら「コインの表と裏」のような関係であることが判ります。

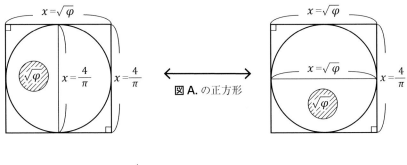

図A. の正方形

計算の意味はお判りでしょうか？ 片方の x に $\dfrac{4}{\pi}$ か $\sqrt{\varphi}$ を代入するともう片方の x はその逆の $\sqrt{\varphi}$ か $\dfrac{4}{\pi}$ になっています。つまり x は $\dfrac{4}{\pi}$ と $\sqrt{\varphi}$、同時に両方と等しいことが円周の等式からも確認できます。これまでの検証と同じ結果が得られます。

∴ $x = \dfrac{4}{\pi} = \sqrt{\varphi}$ が成立し、二つの等式 α と β は「全く同じ数値」を持つ全く同じ等式であることが判ります。

続いて**図B.**で検証してみます。

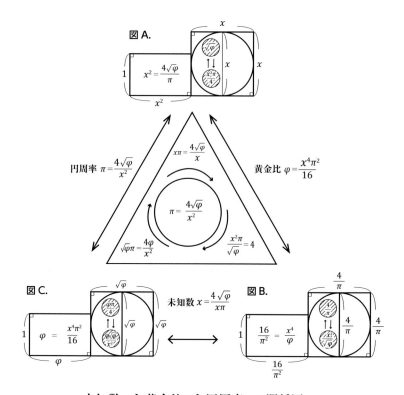

未知数 x と黄金比 φ と円周率 π の関係図

$$x = \sqrt{\varphi} = \frac{4}{\pi}$$

図 A. $\equiv$ 図 B. $\equiv$ 図 C.

上の図をぼんやり眺めながら、ちょっと休憩しましょう！

脳みそは大丈夫ですか？

顔を犬のブルドックのようにしていませんか？

図 B.の等式の場合

　図 **A.**の場合と全く同じ内容で検証していきますが説明は同じですので重複する説明は省かせて頂きます。

　図 **B.**の中で B.c.の等式に $\dfrac{4}{\pi}$ をかけると B.d.の等式になります。この過程で $\dfrac{4}{\pi}$ の代わりに $\sqrt{\varphi}$ をかけて検証してみます。そして二つの等式を比較します。

$$\frac{x^2\pi}{\sqrt{\varphi}} = 4 \quad \xrightarrow{\ \times \frac{4}{\pi}\ } \quad \frac{4}{\sqrt{\varphi}} \times x^2 = 4 \times \frac{4}{\pi} \quad \cdots\cdots\cdots\ \alpha$$

（$\sqrt{\varphi}$ を代わりにかけてみる）

$$\frac{x^2\pi}{\sqrt{\varphi}} = 4 \quad \xrightarrow{\ \times \sqrt{\varphi}\ } \quad \pi \times x^2 = 4 \times \sqrt{\varphi} \quad \cdots\cdots\cdots\ \beta$$

※二つの等式を比較しやすいように違いのある部分に番号をつけます。

$$①\left(\frac{4}{\sqrt{\varphi}}\right) \times x^2 = 4 \times \left(\frac{4}{\pi}\right)②$$

$$③\left(\ \pi\ \right) \times x^2 = 4 \times \left(\sqrt{\varphi}\right)④$$

上下の等式の間で x^2 と 4 は同じなので①と③、②と④がもし「全く同じ数値」なら、上下の二つの等式 α と β は全く同じ等式ということになります。

　参考のために①〜④の概算数値を $\pi \fallingdotseq 3.14$、$\varphi \fallingdotseq 1.6180$ として計算してみます。

① $\dfrac{4}{\sqrt{\varphi}} \fallingdotseq 3.1446$　② $\dfrac{4}{\pi} \fallingdotseq 1.2738$　③ $\pi \fallingdotseq 3.14$　④ $\sqrt{\varphi} \fallingdotseq 1.2720$

　計算値を見ていただいて判るように①と③、②と④は非常に近い数値であることが判ります。そして**図 A.**の場合と同じように二つの等式 α と β が「全く同じ数値」を持つ全く同じ等式であるのか、そうでないの

27

かを検証するために同様の四つの計算をしてみます。

1．初めに①と③、②と④がもし同じ数値なら①と④、②と③をかけた
　場合の数値は等しくなっているはずです。計算してみましょう。

$$\underset{①}{\left(\frac{4}{\sqrt{\varphi}}\right)} \times \underset{④}{\sqrt{\varphi}} = \underset{②}{\left(\frac{4}{\pi}\right)} \times \underset{③}{(\pi)} \rightarrow 4 = 4 \cdots\cdots 等しくなりました。$$

2．二つ目に①と③、②と④がもし同じ数値なら①に③、③に①を相互
　に等式に代入（つまり①と③を入れ替える）した計算結果は同じにな
　るはずです。計算してみましょう。

$$\left[\begin{array}{l} ①に③を代入 \quad (\pi) \times x^2 = 4 \times \frac{4}{\pi} \quad \rightarrow \quad x^2 = \frac{16}{\pi^2} \quad \rightarrow \quad x = \frac{4}{\pi} \\ ③に①を代入 \quad \left(\frac{4}{\sqrt{\varphi}}\right) \times x^2 = 4 \times \sqrt{\varphi} \quad \rightarrow \quad x^2 = \varphi \quad \rightarrow \quad x = \sqrt{\varphi} \end{array}\right.$$

$$\therefore \quad x = \frac{4}{\pi} = \sqrt{\varphi} \cdots\cdots \ 図\ \mathbf{A.}\ と同じ結果がでました。$$

3．三つ目に 2. と全く同じことを②と④を相互に等式に代入（つまり
②と④を入れ替える）して計算してみましょう。

$$\left[\begin{array}{l} ②に④を代入 \quad \frac{4}{\sqrt{\varphi}} \times x^2 = 4 \times (\sqrt{\varphi}) \quad \rightarrow \quad x^2 = \varphi \quad \rightarrow \quad x = \sqrt{\varphi} \\ ④に②を代入 \quad \pi \times x^2 = 4 \times \left(\frac{4}{\pi}\right) \quad \rightarrow \quad x^2 = \frac{16}{\pi^2} \quad \rightarrow \quad x = \frac{4}{\pi} \end{array}\right.$$

$$\therefore \quad x = \sqrt{\varphi} = \frac{4}{\pi} \cdots\cdots \ 図\ \mathbf{A.}\ と同じ結果がでました。$$

3章 ｜ 関係数式から $\dfrac{4}{\pi} = \sqrt{\varphi}$ を導き出す

4．四つ目は①と③、②と④がもし同じ数値なら①と②、③と④をかけた場合の数値は等しくなるはずです。計算してみましょう。

$$\left(\frac{4}{\sqrt{\varphi}}\right) \times \left(\frac{4}{\pi}\right) = (\pi) \times (\sqrt{\varphi}) \quad \rightarrow \quad \frac{16}{\sqrt{\varphi}\pi} = \sqrt{\varphi}\pi \quad \rightarrow \quad \frac{4}{\pi} = \sqrt{\varphi}$$

図 A.の場合と同じ結果がでました。

続いて**図 C.**についても全く同じ内容で検証してみましょう。

図 C.の等式の場合

図 A.B.の場合と全く同じ内容で検証していきますが説明は同じですので重複する説明は省かせて頂きます。

図 C.の中で C.c.の等式に $\dfrac{4}{\pi}$ をかけると C.d.の等式になります。この過程で $\dfrac{4}{\pi}$ の代わりに $\sqrt{\varphi}$ をかけて検証してみます。そして二つの等式を比較します。

$$\sqrt{\varphi}\pi = \frac{4\varphi}{x^2} \xrightarrow{\times \frac{4}{\pi}} 4 \times \sqrt{\varphi} = \frac{4\varphi}{x^2} \times \frac{4}{\pi} \quad \cdots\cdots\cdots\cdots \alpha$$

$$\Downarrow \quad (\sqrt{\varphi} \text{ を代わりにかけてみる})$$

$$\sqrt{\varphi}\pi = \frac{4\varphi}{x^2} \xrightarrow{\times \sqrt{\varphi}} \sqrt{\varphi}\pi \times \sqrt{\varphi} = \frac{4\varphi}{x^2} \times \sqrt{\varphi} \quad \cdots\cdots\cdots \beta$$

※二つの等式を比較しやすいように数値の違う部分に番号をつけます。

$$①(\,4\,) \times \sqrt{\varphi} = \frac{4\varphi}{x^2} \times \left(\frac{4}{\pi}\right) ②$$

$$③(\sqrt{\varphi}\pi) \times \sqrt{\varphi} = \frac{4\varphi}{x^2} \times (\sqrt{\varphi}) ④$$

上下の等式の間で $\sqrt{\varphi}$ と $\dfrac{4\varphi}{x^2}$ は同じなので①と③、②と④がもし「全く同じ数値」なら、上下の二つの等式αとβは全く同じ等式ということになります。

参考のために①～④の概算数値を $\pi \fallingdotseq 3.14$、$\varphi \fallingdotseq 1.6180$として計算してみます。

① 4　② $\dfrac{4}{\pi} \fallingdotseq 1.2738$　③ $\sqrt{\varphi}\pi \fallingdotseq 3.9940$　④ $\sqrt{\varphi} \fallingdotseq 1.2720$

計算値を見ていただいて判るように①と③、②と④は非常に近い数値であることが判ります。そして**図A.B.**の場合と同じように二つの等式 α と β が「全く同じ数値」を持つ<u>全く同じ等式</u>であるのか、そうでないのかを検証するために同様の四つの計算をしてみます。

1．初めに①と③、②と④がもし同じ数値なら①と④、②と③をかけた場合の数値は等しくなっているはずです。計算してみましょう。

$$\underset{①}{(4)} \times \underset{④}{(\sqrt{\varphi})} = \underset{②}{\left(\dfrac{4}{\pi}\right)} \times \underset{③}{(\sqrt{\varphi}\pi)} \rightarrow 4\sqrt{\varphi} = 4\sqrt{\varphi} \cdots \text{等しくなりました。}$$

2．二つ目に①と③、②と④がもし同じ数値なら①に③、③に①を相互に等式に代入（つまり①と③を入れ替える）した計算結果は同じになるはずです。計算してみましょう。

$$
\begin{cases}
①に③を代入 \quad (\sqrt{\varphi}\pi) \times \sqrt{\varphi} = \dfrac{4\varphi}{x^2} \times \dfrac{4}{\pi} \rightarrow x^2 = \dfrac{16}{\pi^2} \quad \rightarrow \quad x = \dfrac{4}{\pi} \\[2ex]
③に①を代入 \quad (4) \times \sqrt{\varphi} = \dfrac{4\varphi}{x^2} \times \sqrt{\varphi} \quad \rightarrow \quad x^2 = \varphi \quad \rightarrow \quad x = \sqrt{\varphi}
\end{cases}
$$

$\therefore x = \dfrac{4}{\pi} = \sqrt{\varphi}$ ……　**図A.B.**と同じ結果がでました。

3．三つ目に 2. と全く同じことを②と④で相互に代入（つまり②と④を入れ替える）して、計算してみましょう。

$$\left[\begin{array}{l} ②に④を代入 \quad 4 \times \sqrt{\varphi} = \dfrac{4\varphi}{x^2} \times \left(\sqrt{\varphi}\right) \rightarrow \quad x^2 = \varphi \quad \rightarrow \quad x = \sqrt{\varphi} \\ ④に②を代入 \quad \sqrt{\varphi}\pi \times \sqrt{\varphi} = \dfrac{4\varphi}{x^2} \times \left(\dfrac{4}{\pi}\right) \rightarrow \quad x^2 = \dfrac{16}{\pi^2} \quad \rightarrow \quad x = \dfrac{4}{\pi} \end{array}\right.$$

$\therefore \ x = \sqrt{\varphi} = \dfrac{4}{\pi}$ …… 図 **A.B.**と同じ結果がでました。

4．四つ目は①と③、②と④がもし同じ数値なら①と②、③と④をかけた場合の数値は等しくなるはずです。計算してみましょう。

$$(4) \ \times \ \left(\dfrac{4}{\pi}\right) \ = \ \left(\sqrt{\varphi}\pi\right) \ \times \ \left(\sqrt{\varphi}\right) \quad \rightarrow \quad \dfrac{16}{\pi} = \varphi\pi \quad \rightarrow \quad \dfrac{4}{\pi} = \sqrt{\varphi}$$

図 **A.B.**の場合と同じ結果がでました。

　これまで図 **A.B.C.**の c.（円周の等式）に $\dfrac{4}{\pi}$ をかけた d.の等式と代わりに $\sqrt{\varphi}$ をかけた等式を比較しましたが、その二つの等式 α と β は「全く同じ数値」を持つ全く同じ等式であることを検証の結果は示しています。そしてそのことは $\sqrt{\varphi}$ と $\dfrac{4}{\pi}$ が「全く同じ数値」であることも同時に示しました。

4章 $\pi = \dfrac{4}{\sqrt{\varphi}}$ を確認する

　この本を読まれている方々の多くは、これまでのいくつかの計算途中でとっくに気がついているはずと思います。

$x = \dfrac{4}{\pi} = \sqrt{\varphi}$ …… すなわち $\pi = \dfrac{4}{\sqrt{\varphi}}$ （この本の表題ですね）

$$\pi = \dfrac{4}{\sqrt{\varphi}}$$ 　とてもきれいな式ですね！

　検証によって得られたこの結果を個別の図ではなく三つの**図 A.B.C.**に同時に当てはまるかどうか確かめてみましょう。17 ページに書いた「偶然」が本当は「必然」であることが明らかになります。そして図の中に隠れている $\dfrac{4}{\pi}$ の特殊な性質をこの章で示し、$\sqrt{\varphi}$ と $\dfrac{4}{\pi}$ が等しいことを確認します。すべての等式で確認できますが、最も良いと思われる各図の c.（円周）の等式に $\dfrac{4}{\pi}$ と $\sqrt{\varphi}$ を x に代入してみます。代入結果の数式は「非常にきれいな結果」であることが判ります。数学の好きな方々はぜひご自分で計算が正しいか確かめてみて頂きたい。

図 A.c.の等式 $\quad x\pi = \dfrac{4\sqrt{\varphi}}{x}$
$\begin{cases} \dfrac{4}{\pi}\text{を代入} & \dfrac{4\pi}{\pi} = \dfrac{4\sqrt{\varphi}\pi}{4} & \rightarrow & \sqrt{\varphi}\pi = 4 \\[2mm] \sqrt{\varphi}\text{を代入} & \sqrt{\varphi}\pi = \dfrac{4\sqrt{\varphi}}{\sqrt{\varphi}} & \rightarrow & \sqrt{\varphi}\pi = 4 \end{cases}$

図 B.c.の等式 $\quad \dfrac{x^2\pi}{\sqrt{\varphi}} = 4$
$\begin{cases} \dfrac{4}{\pi}\text{を代入} & \dfrac{16\pi}{\pi^2\sqrt{\varphi}} = 4 & \rightarrow & \sqrt{\varphi}\pi = 4 \\[2mm] \sqrt{\varphi}\text{を代入} & \dfrac{\varphi\pi}{\sqrt{\varphi}} = 4 & \rightarrow & \sqrt{\varphi}\pi = 4 \end{cases}$

図 C.c.の等式 $\quad \sqrt{\varphi}\pi = \dfrac{4\varphi}{x^2}$
$\begin{cases} \dfrac{4}{\pi}\text{を代入} & \sqrt{\varphi}\pi = \dfrac{4\varphi\pi^2}{16} & \rightarrow & \sqrt{\varphi}\pi = 4 \\[2mm] \sqrt{\varphi}\text{を代入} & \sqrt{\varphi}\pi = \dfrac{4\varphi}{\varphi} & \rightarrow & \sqrt{\varphi}\pi = 4 \end{cases}$

　計算結果はすべて同じになりました。何が起きたのかお判りですか？
別々に作った**図 A.B.C.**は円周の数値が 4 であり、すべてが実は「合同
の図」であることが確認できます。

　そして注目して頂きたいのは左右に x が別れている A.c.の等式で次
の計算です。これは 25 ページの説明が参考になります。

A.c.の等式 $x\pi = \dfrac{4\sqrt{\varphi}}{x}$
$\begin{cases} \text{左に}\sqrt{\varphi}\text{、右に}\dfrac{4}{\pi}\text{を代入}\cdots\cdots\sqrt{\varphi}\,\pi = \sqrt{\varphi}\,\pi \\[2mm] \text{左に}\dfrac{4}{\pi}\text{、右に}\sqrt{\varphi}\text{を代入}\cdots\cdots\quad 4 = 4 \end{cases}$

$\sqrt{\varphi}\,\pi$ は 4 と等しいですから左右のxに$\dfrac{4}{\pi}$と$\sqrt{\varphi}$を別々に代入しても同
じ結果になり $\dfrac{4}{\pi}$ と $\sqrt{\varphi}$ が全く同じ数値であることを確認できます。

え！すべての等式で確認したいって！?

　それではすべての等式で代入した結果を次のページに示します。

	$\sqrt{\varphi}$の代入結果	$\frac{4}{\pi}$の代入結果	πの計算結果
A.a. の等式（円の面積）	$\sqrt{\varphi}=\frac{4}{\pi}$	$\sqrt{\varphi}=\frac{4}{\pi}$	$\pi=\frac{4}{\sqrt{\varphi}}$
A.b. の等式（正方形と長方形の面積）	$\varphi=\frac{4\sqrt{\varphi}}{\pi}\left(\frac{4\sqrt{\varphi}}{\pi}=\frac{16}{\pi^2}\right)$	$\frac{16}{\pi^2}=\frac{4\sqrt{\varphi}}{\pi}\left(\frac{16}{\pi^2}=\varphi\right)$	$\pi=\frac{4}{\sqrt{\varphi}}$
A.c. の等式（円周）	$\sqrt{\varphi}\pi=4$	$\sqrt{\varphi}\pi=4$	$\pi=\frac{4}{\sqrt{\varphi}}$
A.d. の等式（正方形の外周）	$\frac{16}{\pi}=4\sqrt{\varphi}$	$\frac{16}{\pi}=4\sqrt{\varphi}$	$\pi=\frac{4}{\sqrt{\varphi}}$
B.a. の等式（円の面積）	$\sqrt{\varphi}=\frac{4}{\pi}$	$\sqrt{\varphi}=\frac{4}{\pi}$	$\pi=\frac{4}{\sqrt{\varphi}}$
B.b. の等式（正方形と長方形の面積）	$\varphi=\frac{16}{\pi^2}$	$\varphi=\frac{16}{\pi^2}$	$\pi=\frac{4}{\sqrt{\varphi}}$
B.c. の等式（円周）	$\sqrt{\varphi}\pi=4$	$\sqrt{\varphi}\pi=4$	$\pi=\frac{4}{\sqrt{\varphi}}$
B.d. の等式（正方形の外周）	$\frac{16}{\pi}=4\sqrt{\varphi}$	$\frac{16}{\pi}=4\sqrt{\varphi}$	$\pi=\frac{4}{\sqrt{\varphi}}$
C.a. の等式（円の面積）	$\sqrt{\varphi}=\frac{4}{\pi}$	$\sqrt{\varphi}=\frac{4}{\pi}$	$\pi=\frac{4}{\sqrt{\varphi}}$
C.b. の等式（正方形と長方形の面積）	$\varphi=\frac{16}{\pi^2}$	$\varphi=\frac{16}{\pi^2}$	$\pi=\frac{4}{\sqrt{\varphi}}$
C.c. の等式（円周）	$\sqrt{\varphi}\pi=4$	$\sqrt{\varphi}\pi=4$	$\pi=\frac{4}{\sqrt{\varphi}}$
C.d. の等式（正方形の外周）	$\varphi\pi=\frac{16}{\pi}=4\sqrt{\varphi}$	$\frac{16}{\pi}=4\sqrt{\varphi}$	$\pi=\frac{4}{\sqrt{\varphi}}$

　代入の計算結果は比較しやすいように同じ数式は等式の右か左にして整理してあります。すべての等式から**図 A.B.C.**は合同であり、またその等式は $\pi=\frac{4}{\sqrt{\varphi}}$ の計算結果を導き出せることが判ります。

　続けて 11 ページへ説明の途中になっている「三つ目の理由」を次ページの表でご覧ください。$\frac{4}{\pi}$ の非常に特殊な性質を確認できます。

　表の中で注目して頂きたいのは $\frac{4}{\pi}$ の波線の部分です。

概略図	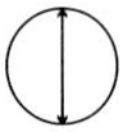 直径	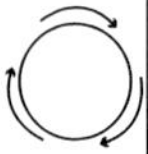 円周	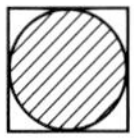 円の面積	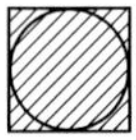 正方形の面積	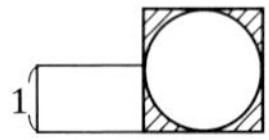 四つ隅の面積	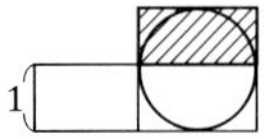 小さい長方形の面積
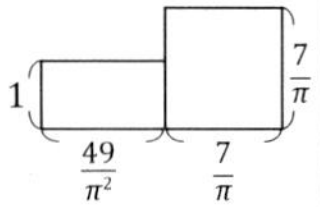 $1,\ \dfrac{49}{\pi^2},\ \dfrac{7}{\pi},\ \dfrac{7}{\pi}$	$\dfrac{7}{\pi}$	7	$\dfrac{49}{4\pi}$	$\dfrac{49}{\pi^2}$	$\dfrac{49}{\pi^2}-\dfrac{49}{4\pi}$	$\dfrac{49}{\pi^2}-\dfrac{7}{\pi}$
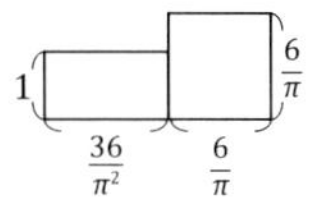 $1,\ \dfrac{36}{\pi^2},\ \dfrac{6}{\pi},\ \dfrac{6}{\pi}$	$\dfrac{6}{\pi}$	6	$\dfrac{9}{\pi}$	$\dfrac{36}{\pi^2}$	$\dfrac{36}{\pi^2}-\dfrac{9}{\pi}$	$\dfrac{36}{\pi^2}-\dfrac{6}{\pi}$
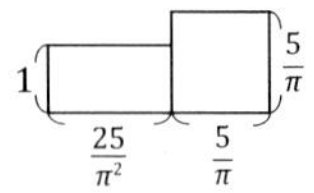 $1,\ \dfrac{25}{\pi^2},\ \dfrac{5}{\pi},\ \dfrac{5}{\pi}$	$\dfrac{5}{\pi}$	5	$\dfrac{25}{4\pi}$	$\dfrac{25}{\pi^2}$	$\dfrac{25}{\pi^2}-\dfrac{25}{4\pi}$	$\dfrac{25}{\pi^2}-\dfrac{5}{\pi}$
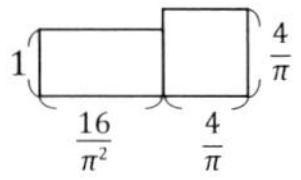 $1,\ \dfrac{16}{\pi^2},\ \dfrac{4}{\pi},\ \dfrac{4}{\pi}$	$\dfrac{4}{\pi}$	4	$\dfrac{4}{\pi}$	$\dfrac{16}{\pi^2}$	$\dfrac{16}{\pi^2}-\dfrac{4}{\pi}$	$\dfrac{16}{\pi^2}-\dfrac{4}{\pi}$
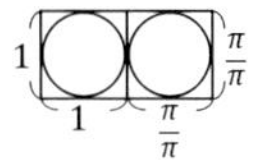 $1,\ 1,\ \dfrac{\pi}{\pi},\ \dfrac{\pi}{\pi}$	1	π	$\dfrac{\pi}{4}$	1	$1-\dfrac{\pi}{4}$	0
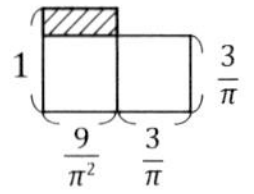 $1,\ \dfrac{9}{\pi^2},\ \dfrac{3}{\pi},\ \dfrac{3}{\pi}$	$\dfrac{3}{\pi}$	3	$\dfrac{9}{4\pi}$	$\dfrac{9}{\pi^2}$	$\dfrac{9}{\pi^2}-\dfrac{9}{4\pi}$	$\dfrac{9}{\pi^2}-\dfrac{27}{\pi^3}$
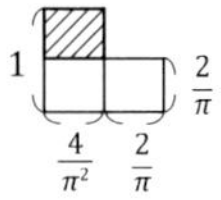 $1,\ \dfrac{4}{\pi^2},\ \dfrac{2}{\pi},\ \dfrac{2}{\pi}$	$\dfrac{2}{\pi}$	2	$\dfrac{1}{\pi}$	$\dfrac{4}{\pi^2}$	$\dfrac{4}{\pi^2}-\dfrac{1}{\pi}$	$\dfrac{4}{\pi^2}-\dfrac{8}{\pi^3}$
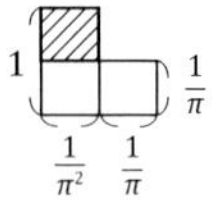 $1,\ \dfrac{1}{\pi^2},\ \dfrac{1}{\pi},\ \dfrac{1}{\pi}$	$\dfrac{1}{\pi}$	1	$\dfrac{1}{4\pi}$	$\dfrac{1}{\pi^2}$	$\dfrac{1}{\pi^2}-\dfrac{1}{4\pi}$	$\dfrac{1}{\pi^2}-\dfrac{1}{\pi^3}$

＊図の縮尺は正確ではありません。

＊直径が $\dfrac{4}{\pi}$ であるとき以外は「直径と円面積」さらに「四つ隅の面積と小さい長方形の面積」が等しくなることはありません。このことに注目して頂きたい。

（ただし図のように長方形の左辺が1である場合に限ります）

35

$\dfrac{4}{\pi}$ は直径と円面積の数値が等しく、さらに表のように四つの隅の面積と小さい長方形の面積が等しくなります。これは他の数値を直径に持つ図には見られません。

この特殊な性質は $\dfrac{4}{\pi}$ と $\sqrt{\varphi}$ が「全く同じ数値」であることを推測させる大きな理由の一つになりました。（※注意点は長方形の左辺は図のように数値が 1 である場合に限ります。）

それを確認するため次の二つの図をご覧いただきたい。

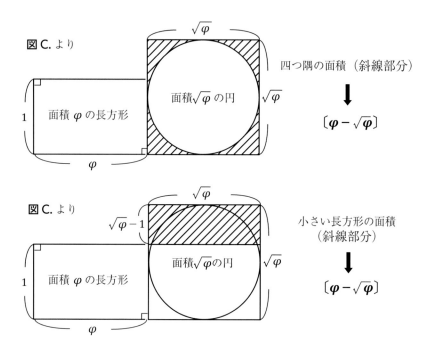

図 C. より
四つ隅の面積（斜線部分）
$\downarrow$
$[\varphi - \sqrt{\varphi}]$

$\sqrt{\varphi}$
面積 φ の長方形
面積 $\sqrt{\varphi}$ の円
$\sqrt{\varphi}$
1
φ

図 C. より
小さい長方形の面積（斜線部分）
$\downarrow$
$[\varphi - \sqrt{\varphi}]$

$\sqrt{\varphi}$
$\sqrt{\varphi}-1$
面積 φ の長方形
面積 $\sqrt{\varphi}$ の円
$\sqrt{\varphi}$
1
φ

　これまでの検証によって**図 C.**の円面積は$\sqrt{\varphi}$であることが判ります。そして図から二つの斜線部分の面積数値は〔$\varphi - \sqrt{\varphi}$ 〕で同じになります。$\dfrac{4}{\pi}$と全く同じで、直径と円面積の数値が等しく、四つ隅の面積と小さい長方形の面積が等しくなり、$\dfrac{4}{\pi}$ だけが持つはずの特殊な性質を$\sqrt{\varphi}$が満たしてしまいます。

　ここまでくれば 13 ページの「二つ目の理由」で何故円の面積を$\sqrt{\varphi}$に設定したのか、お判りになりましたか。そしてこの時の x が$\sqrt{\varphi}$であることを証明することは、正に$\dfrac{4}{\pi}$ と$\sqrt{\varphi}$が等しいことを証明することにつながっていました。「中学生のみなさん、カンニングはやめて下さいね！」と言った理由は判りましたか。

　ご愛読ありがとうございました…………

え！これで終わると私が困ります！

　この後に書くことがこの本の真の目的です。それは多くの人にとって（この本を書いている私を含め、本を読まれた方々にも）今まで考えたこともないことかもしれません。しかしこの本はその大きな問いを投げかけるために書かれたものです。

4章の終わりに次の四つの重要な関係図を示しておきます。

黄金比を持つ三角形と各図との関係図 I

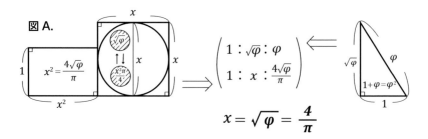

$$x = \sqrt{\varphi} = \frac{4}{\pi}$$

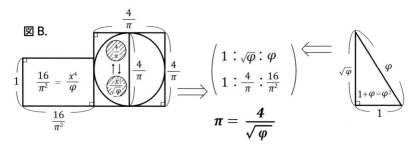

$$\pi = \frac{4}{\sqrt{\varphi}}$$

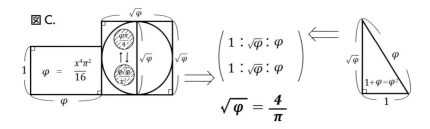

$$\sqrt{\varphi} = \frac{4}{\pi}$$

$$x = \sqrt{\varphi} = \frac{4}{\pi}$$

注訳
〔:〕この数学記号は日本
において比率の意味です

図 A. ≡ 図 B. ≡ 図 C.

黄金比を持つ三角形と各図との関係図Ⅱ

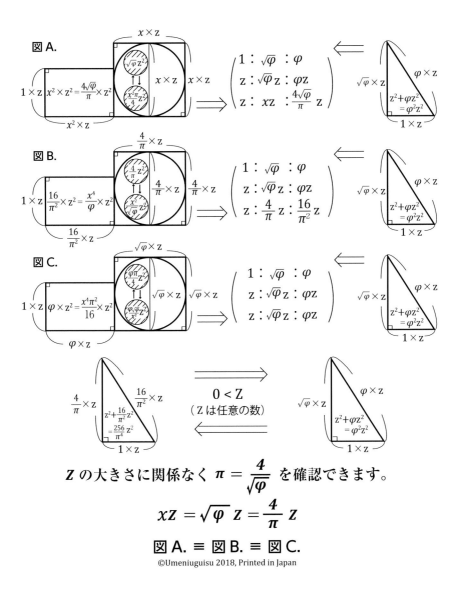

Z の大きさに関係なく $\pi = \dfrac{4}{\sqrt{\varphi}}$ を確認できます。

$$xz = \sqrt{\varphi}\, z = \dfrac{4}{\pi}\, z$$

図 A. ≡ 図 B. ≡ 図 C.

黄金比を持つ三角形と各図との関係図Ⅲ

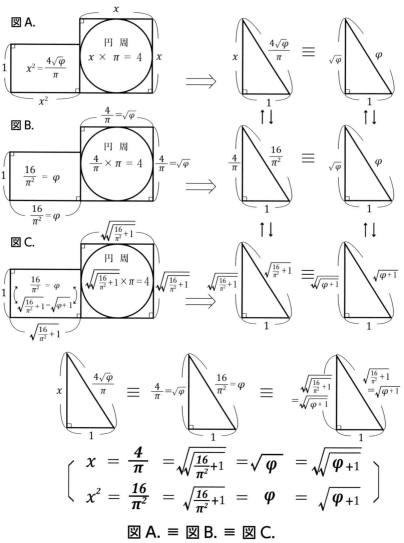

図 A.

円 周
$x \times \pi = 4$

$x^2 = \dfrac{4\sqrt{\varphi}}{\pi}$

$\dfrac{4\sqrt{\varphi}}{\pi}$

$\equiv$

$\sqrt{\varphi}$ ... φ

図 B.

$\dfrac{4}{\pi} = \sqrt{\varphi}$

円 周
$\dfrac{4}{\pi} \times \pi = 4$

$\dfrac{4}{\pi} = \sqrt{\varphi}$

$\dfrac{16}{\pi^2} = \varphi$

$\dfrac{16}{\pi^2}$

$\equiv$

φ

図 C.

$\sqrt{\dfrac{16}{\pi^2}+1}$

円 周
$\sqrt{\dfrac{16}{\pi^2}+1} \times \pi = 4$

$\dfrac{16}{\pi^2} = \varphi$

$\sqrt{\dfrac{16}{\pi^2}+1} = \sqrt{\varphi+1}$

$\sqrt{\dfrac{16}{\pi^2}+1}$

$\equiv$

$\sqrt{\dfrac{16}{\pi^2}+1}$ ... $\sqrt{\varphi+1}$

$$\begin{cases} x = \dfrac{4}{\pi} = \sqrt{\dfrac{16}{\pi^2}+1} = \sqrt{\varphi} = \sqrt{\sqrt{\varphi}+1} \\ x^2 = \dfrac{16}{\pi^2} = \sqrt{\dfrac{16}{\pi^2}+1} = \varphi = \sqrt{\varphi+1} \end{cases}$$

図 A. ≡ 図 B. ≡ 図 C.

図の中における π と φ の関連数値

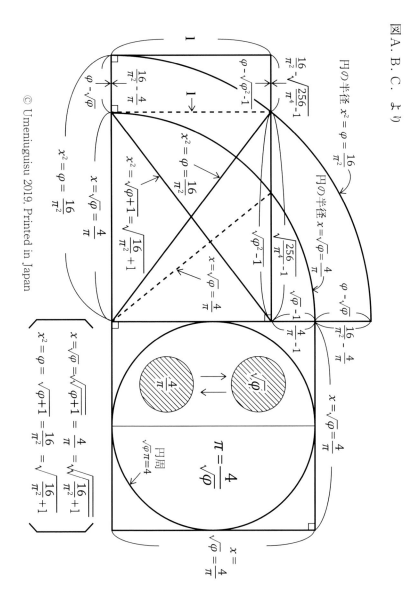

図A．B．C．より

41

終わりにあたり

　「中学生の数学レベルで判る π の新しい計算方法のご提案」はいかがでしたか？　さて私からこの本の読者の方々にお聞きしたいことがあります。

　この本の表題、……

$$え!!　\pi = \frac{4}{\sqrt{\varphi}}　これ本当!?$$

　これの「本当の意味」は判っておりますか？　数学者や数学に詳しい知識を有する方々は、とっくに気がついていると思いますが、気づいていない方々のために次の数値を並べて示します。

　　現在使用されている π の数値　　$\pi = 3.14159265358......$
　　この本の中で検証した π の数値　$\pi = 3.14460551102......$

何が起きたのか、お判りでしょうか？……

　現在世界で使用されている π の数値は私の記憶では 2016 年で 20 兆桁ぐらいまで計算されているそうです。おそらく「スーパーコンピューター」というもので計算しているのだと思います。私がホームセンターで購入した 680 円（税別）の「スーパーコンピューター」は 12 桁までしか表示できません。たとえ何桁まで計算できようと、π の正しい数値はたった一つしかないはずです。

みなさまはこの二つの数値の違いをどうされますか？

　この質問は私自身に対してなされた質問でもあります。そして私自身が出した答えはこの本を書くことでした。

　最後にもう一度、私は数学者でもなければ科学者でもなく、どこかの企業の技術者でもありません。一介の手仕事職人にすぎません。$\pi = \frac{4}{\sqrt{\varphi}}$ の真偽は数学者や数学に詳しい知識を有する方々に委ねますが、私を含め数学の知識に乏しい方々にも簡単に真偽を確かめる方法があります。

　それは……

「実測してみる」ことです！

　これなら数学のプロも素人もありません。ただ正確に測るだけです。実測の結果には誰も反論できないと思います。中学生あるいは高校生のみなさんなら体育館に直径 10m の円を描き（極めて正確に）円周を実測してみませんか。あるいは広いグランドのある所でしたら直径 50m、100m の円を描き円周を実測してみませんか。

直径 10m の円 $\left[\begin{array}{l} \text{実測値が 31m41.5 cm} \rightarrow \text{現在使用の } \pi \text{ 数値に等しい} \\ \text{実測値が 31m44.6 cm} \rightarrow \frac{4}{\sqrt{\varphi}} \text{の } \pi \text{ 数値に等しい} \end{array}\right.$

　上記のように実測すれば明らかにできると思います。

　一般の人が普段の生活をしていくうえで 10m の円で約 3.1cm ぐらいの誤差は何の支障もないと思います。しかし目を宇宙に向けた時のこと

をお考え頂きたい。

　地上 300km の上空で地球をぐるりと一周する人工衛星の飛行距離なら（地球の直径を約 1 万 2700km として）一周する間にその計算誤差は約 39km にもなってしまいます。(39km が誤差ですって！) さらに地球の人々がやがて大きな宇宙船を建造し太陽系を飛び出す時がやってくる時、我々の住む銀河系は直径が 10 万光年と推測されています。宇宙船でぐるりと銀河を一周した時、その誤差は約 310 光年ということになります。光の速さ（たった 1 秒で地球を 7 回半まわる）で 310 年の違いがでてきてしまいます。もはや「誤差」という言葉を使うことさえできなくなってしまいます。

　この本に疑問を持たれた方、反対に興味を持たれた方、好奇心旺盛な中学生、あるいは高校生のみなさん、「実測」して確かめてみませんか。直径 10 ｍの円で円周の実測値が 31m41.5cm ならこの本の内容は間違っていることが簡単に証明できますね。

え！私は実測してみないのかって？

　私は幼稚園のころから回ることが大の苦手、一周する前に目が回り倒れてしまいそうです（笑）。そのような理由で事の真偽が誰かによって耳に入ることを待っています。

2017 年 9 月 27 日
梅にウグイス

え!! $\pi = 4／\sqrt{\varphi} = 3.1446...$ これ本当!? 〔第3版〕

2017年12月 1 日	初　版第 1 刷発行	
2018年 5 月31日	第 2 版第 1 刷発行	
2020年 5 月31日	第 3 版第 1 刷発行	

著　者　梅にウグイス
発行所　ブックウェイ
　　　　〒670-0933　姫路市平野町62
　　　　TEL.079 (222) 5372　FAX.079 (244) 1482
　　　　https://bookway.jp
印刷所　小野高速印刷株式会社
©Umeniuguisu 2020, Printed in Japan
ISBN978-4-86584-458-0